KB122668

수요일엔 앙버터를 먹으러 가야지

작가의 말

이 책이 당신의 외출과 함께했으면 좋겠습니다.

그날의 공기 그날의 바람을 미리 추억하고

당신이 만날 사람을 먼저 그리워하는 책이 되었으면 합니다.

쉽게 쓰여지지 않았지만 쉽게 읽히길 원합니다.

다만 마음이 그렇듯

빛바랜 활자는 해독하기 어려워 질 수 있으니

직사광선은 피해주시고

손이 자주 가는 곳에 두십시오.

기회가 된다면 또 만납시다.

차례

가을

겨울

봄

수요일엔 앙버터를 먹으러 가야지

새 학기를 시작한 지 한 달쯤 지났을 때다.

어느 날 아침에 일어났는데 목이 찢어질 것처럼 아팠다. 숨이 차고 명치가 타는 듯했다. 아프다는 말이 나오지 않을 정도였다. 급히 옷을 입고 이비인후과로 달려갔다. 의사 선생님은 내 목 안을 유심히 살펴보시더니 말했다.

"커피 많이 드세요?"

나는 기어들어 가는 목소리로 대답했다.

"네……"
"끊으세요."
"네?"
"술 마셔요?"
"네."
"당장 끊으시고요. 담배도 끊으세요."
"네?"
"물도 너무 찬 물이나 뜨거운 물 먹지 말고, 미지근한 물을 자주 드세요."

아주 죽으라고 하지 왜.
역류성 식도염과 편도염 판정을 받은 나는 두툼한 약 봉지를 흔들며 절망적인 말투로 궁시렁거렸다. 하지만 선생님의 목소리가 어찌나 단호하던지 나는 그 앞에서 찍소리도 못해보고 네, 만 했는데 기가 죽었다.
몇 살만 더 어렸어도 선생님이 하는 말은 깡그리 무시한 채, '약 먹으면 낫겠지.' 하는 안일한 생각으로 집에 가자마자 드립 커피를 내렸을 것이다. 그러나 이제는 몸이 커피를 거부했다. 커피뿐만 아니라 모든 것을 거부했다. 먹고 마시는 것, 수업 듣고 과제하고 공부하는 것까지 아무것도 할 수가 없었다. 내가 할 수 있는 건 미열을 동반한 통증이 얼른 사라지길 바라며 약을 먹고 자는 것뿐이었다.

그렇게 2주 동안 아무것도 할 수 없었다. 해야 할 일과 과제는 내가 먹고 버린 약봉지만큼 쌓여갔다.

다시 병원에 갔다. 목이 전혀 낫질 않았다며 따지듯 말했다. 의사 선생님은 목을 유심히 보더니 염증은 이제 사라졌다고 했다.

"그럼 저 왜 아직 아파요?"

"스트레스받아서 그렇죠, 뭐."

저번보단 너그럽고 다정한 목소리였지만 여전히 조금 무서웠다.

"저 스트레스 안 받는데요."

"몸이 쉬고 싶은 거예요. 쉬세요."

"2주 내내 침대에 누워만 있었어요."

"누워만 있다고 스트레스가 해소되진 않아요."

나는 할 말이 없어 의사 선생님을 노려보았다.

"그럼 진통제라도 주세요. 목 아파요."

그렇게 우기듯 받은 진통제를 들고 집으로 가는데 화가 치밀었다.

'도대체 내 몸은 왜 이 모양인지, 열심히 살아보려고

하면 왜 이렇게 고장이 나는지, 이 치열한 세상에서 나보다 바쁘게 사는 사람들이 얼마나 많은데, 조금 바쁘게 살았다고 이렇게까지 아플 일인가?'

마음 같아선 카페에 들러 아메리카노를 벌컥벌컥 마시고 싶었지만 또 아플까 봐 겁이 났다. 바보 같은 나 자신이 못마땅해 미쳐버릴 것 같았다.

집에 도착한 나는 진통제 한 봉지를 입에 털어 넣고 곰곰이 생각해봤다.

'뭐가 문제지?'

해야 할 게 쌓여 있지만 전혀 못 하고 있었고, 마시고 싶은 커피를 못 마시고 있었다.

"아, 지겨워."

나도 모르게 입 밖으로 뱉어진 말이었다. '뭐가?' 하고 스스로 되물었다. 그러자 갑자기 눈물이 날 것 같았다.

학기가 시작하고 한 달 동안 제대로 외출한 적이 없었다. 5평 남짓한 방에서 먹고 자고 컴퓨터로 수업 듣고 과제하고 공부만 했다. 외출이라고 해봤자 집 앞 마트로 식자재를 사러 나가는 게 전부였는데, 그마저도 귀찮아서 배달 음식으로 끼니를 때우던 때가 비일비재했다. 그러면서도 더 제대로 하지 못하는 것 같아 불안했다. 불안은 점점 우울이 됐고, 우울은 나를 침대로 향하게 했다. 겨우겨우 할 일을 끝내고 나면 침대에 누워 아무것도 하지 않았다. 어쩌면 몸은 오래전부터 신호를 보내고 있었던 걸지도 모르지만 나는 모르는 척, 방 안에만 갇혀 살았다. 그러다 목이 아프자 모든 걸 다 놓아버린 것이었다.

그렇게 생각하자 불현듯 의사 선생님이 한 말이 떠올랐다.

"누워만 있는다고 스트레스가 해소되진 않아요."

나는 나가야겠다고 생각했다. '나가서 뭐 하지?'라고 생각하자마자 하고 싶은 것들이 줄줄이 생각났다.

우선 오전에 일어나 카페에 가고 싶었다.

다음 날 나는 수업이 없는 날임에도 일찍 일어났다. 그리고 개운하게 샤워를 했다. 렌즈를 끼고 화장을 했다. 단정한 옷을 입고, 향수도 뿌렸다. 가방엔 시집 한 권과 노트 한 권, 필통을 챙겼다. 시집을 자주 읽는 편은 아니었지만 외출할 때면 언제나 시집 한 권을 챙기곤 했다. 그 모습을 본 친구는 시집을 부적처럼 들고 다닌다며 놀렸다. 하지만 나는 시간이 빌 때 시집을 읽는 지적이고 매력적인 사람이 되고 싶었기에 언제나

시집 챙기는 걸 잊지 않았다.

미리 검색해둔 카페에 가기 위해 버스를 탔다. 창문을 열었더니 찬바람이 살짝 섞인 봄바람이 내 얼굴로 불어왔다. 나는 따뜻한 아메리카노와 맛있는 디저트를 먹는 상상을 하며 눈을 감았다.

카페에 도착한 나는 설렘을 감출 수가 없었다. 생각했던 것보다 훨씬 아늑한 곳이었다. 작은 스피커에서 알 수 없는 노래가 흘러나오고 있었고 카페 곳곳에 화병을 두었는데, 원목 인테리어와 잘 어울리면서 동시에 카페 전체가 생기 있어 보였다.

나는 카운터 앞에서 뭘 먹을지 고민했다. 드립커피와 앙버터가 유명한 곳이었는데 막상 보니 더 맛있어 보이는 디저트가 많았다. 나는 오랜 고민 끝에 커피 대신 따뜻한 루이보스 티와 앙버터를 주문했다.

창밖 풍경을 구경했다. 수요일 오전엔 사람이 별로 없었다. 대부분 장을 봐서 들어가거나 잠깐 가까운 곳에 뭘 사러 나온 사람들이었다.

몇 분 지나지 않아 카페 직원이 앙버터와 루이보스 티를 내 테이블에 가져다주었다. 가게에서 파는 앙버터는 바삭한 미니 바게트를 반으로 갈라 그 안에 도톰한 버터와 존존한 팥앙금을 넉넉하게 넣은 것이었다. 차를 한 모금 마셔 입안을 행군 뒤 먹기 좋게 잘린 바게트 앙버터 하나를 입에 넣었다. 버터의 고소한 풍미와 팥 앙금의 달콤함, 바게트의 바삭함이 입 안에서 한꺼번에 느껴졌다. 나는 눈을 질끈 감았다. 맛을 음미하며 천천히 씹었다. 씹을수록 팥 앙금뿐만 아니라 버터와 바게트에서의 단맛이 함께 올라왔다. 다 먹고 난 후 루이보스 티로 입을 헹궜다. 아직은 찬 바람이 부는 봄에 잘 어울리는 온도와 향이었다. 천천히 먹는다고 먹었는데 어느샌가 다 먹고 없었다.

나는 숨을 한 번 고르고, 다시 카운터로 갔다. 그리고 핸드드립 커피를 주문했다.

'제발 아프지 마라. 제발 아프지 마라……' 나는 직원이 가져다준 커피를 앞에 두고 간절히 기도했다.

빨대를 빼고 유리잔에 입을 대고 커피를 한 모금 마셨다. 마치 심한 체기를 앓던 중 까스활명수 먹은 것처럼 온몸에 피가 확 돌았다. 고소하고 쌉쌀한 맛과 동시에 은은한 포도 향이 느껴졌다. 아이스 드립 커피의 청량감에 몸 둘 바를 몰랐다. 나는 입술에 묻은 커피를 혀로 핥은 후 다시 한 모금 마셨다. 가글하듯 입 안 가득 커피를 채운 뒤 입안의 미세 세포 모두에게 커피의 귀환을 알렸다. 무덤에서 깨어나는 뱀파이어가 된 것 같았다. 온몸의 세포 하나하나가 깨어나 마치 새로 태어나는 기분이었다.

"아, 너무 좋아!"

나는 발을 동동 구르며 아무도 들리지 않게 읊조리듯 말했다.

그날, 커피와 앙버터가 너무 맛있어서 시집은 꺼내지도 못했다. 하지만 시간 날 때 시집을 읽는 지적이고 매력적인 여자보다 내 모습이 만족스러웠다. 내가 원하는 나는 작은 방에 갇혀 노트북 앞에만 앉아 있는 사람이 아니었다. '할 일을 해야 한다'는 압박감에 내 감정을 알아차리지 못하고, 감정과 건강을 등한시하는 사람은 더더욱 아니었다. 맛있는 걸 먹고, 여유를 즐기고, 사랑하는 사람들을 만나서 이야기를 나누는 사람이 되고 싶었다.

그래서 나는 앞으로 일주일에 한 번은 외출하기로 했다. 어디를 가도 좋고 누구를 만나도 좋다. 누구를 만나지 않아도 좋고 어딘가를 가지 않아도 좋다. 우선 나가보는 것이다. 정 할 게 없으면 앙버터를 먹으러 가면 된다.
"수요일엔 앙버터를 먹으러 가야지!" 이렇게 웅얼거리면 울적했던 기분이 조금 사그라든다.
마치 내 가방에 있는 이름 모를 시집처럼 나를 더 멋진 사람으로 만들어주는 것 같아 기분이 좋아진다.

춘천행

며칠째 소설을 한 줄도 쓰지 못해 침울해진 밤에 문득 춘천에 가고 싶다는 생각을 했다. 하얀 배경에 검은 커서만 깜박이는 노트북 화면에서 눈을 떼고 천장을 바라봤다. 춘천에 있는 사람, 그 사람과 함께했던 짧은 시간들, 침착하고 차분한 목소리로 내 이름을 불러 주면 언제나 아이처럼 해맑게 웃을 수 있었던 날들이 주마등처럼 스쳤다.

나는 곧장 인터넷을 켜 온라인 서점에 들어갔다. 장바구니에 담아둔 책들을 훑어보며 어떤 책이 좋을지 고민했다. 춘천에서 나를 반겨줄 사람에게 잘 어울리는 책을 선물하고 싶었다.

내가 스물한 살 때 다니던 대학에서 영상매체론 수업을 하시던 교수님이 계셨다. 나와 동기들은 무대 연기에만 관심 있던 터라 영상매체 이론에는 문외한이었다. 그뿐만 아니라 트레이닝복을 입고 연습실에 있는 게 익숙했던 우리는 트레이닝복이 아닌 옷을 입고 의자에 앉아 수업을 듣는 게 좀체 익숙해지지 않던 때였다. 3월의 찬바람을 가지고 들어온 영상매체론 교수님은 크지 않은 키에 체격이 있고 지하철에서 몇 번이나 마주치고도 기억하지 못할, 아주 평범한 인상을 가진 중년 여성이었다. 나는 벌써 좀이 쑤시는 엉덩이를 들썩이며 제발 일찍 끝내주길 바랐다.

교수님은 여유롭게 걸어 들어와 텀블러에 인스턴트 커피 한 개를 넣고 흔들었다. 그리고 자신을 영상과 대중매체를 공부하고 가르치는 사람이라 소개했다. 수업은 평범했다. ppt를 활용해 영상 매체의 기본 상식에 관해 설명하고 학생들에게 질문받고 교수님이 대답하는 형식이었다. 교수님은 학생이 질문을 하면 그가 있는 자리로 가서 허리를 숙이거나 무릎을 구부려 눈을 맞추며 대화했다.

어느 날 교수님이 가져온 usb를 컴퓨터에 연결하고 ppt 파일을 여는데, 파일 옆에 마지막 수정 시간이 눈에 띄었다. 수업이 있던 날 새벽 4시였다. 그동안 한 번도 눈길이 간 적 없는 그것에 왜 눈이 갔는지 모르겠지만, 새벽 4시까지 학생들을 위해 수업 내용을 수정하셨을 교수님을 생각하니, 그동안 켜켜이 쌓여왔던 이름 모를 마음이 폭포처럼 쏟아졌다. 어쩌면 교수님은 원래 그 시간에 수업을 준비하는 분이셨을지 모르지만, 나는 본래 모든 사랑이 그렇듯, 혼자 상상하고 의미 부여하고 기대하다가 작은 것에 마음껏 사랑할 명분을 만들어버린 것이다.

이후 나는 수업을 듣다 궁금한 게 있으면 몇 번이고 손을 들었다. 교수님과 토론 아닌 토론도 자주 했다. 따지고 보면 내가 일방적으로 의견을 내세우고 교수님께서 그 의견을 수용하면서 본인의 생각과 실제 사례로 예를 들어 나를 이해시키는 방식이었지만 그렇게 대화를 이어가는 게 즐거웠다. 그러나 교수님을 사랑하는 건 나뿐만이 아니었다. 동기 대다수가 각자의 이유로 교수님을 사랑했다. 수업 때 교수님께 초콜릿을 주는 애들도 있었고, 커피를 사드리는 애들도 있었다. 자신이 따로 공부해온 이론을 물어보는 애들도 있었다. 교수님은 그런 우리와 눈을 맞추고 이름을 불러주며 "OO 학생, 질문해줘서 고마워요."하고 말했다. 우리는 다른 교수님들이 질투할 만큼 그 교수님을 열과 성을 다해 사랑했다.

아마 그녀가 당시 우리의 눈을 오래 들여다봐준 유일한 어른이었기 때문일지도 몰랐다.

지금으로부터 3년 전쯤, 교수님과 따로 만난 적이 있다. 당시 나는 대학을 휴학하고 호주에서 1년 정도 살다가 한국에 입국한 지 얼마 안 된 때였다. 스승의 날이나 명절에 종종 연락을 드리긴 했지만, 그땐 왠지 얼굴을 뵙고 싶었다. 만나고 싶다는 내 연락을 받은 교수님은 흔쾌히 가능한 날짜와 시간을 알려주셨고 우리는 이태원에서 만나기로 했다. 교수님은 이태원 맛집과 유명한 카페를 미리 검색해 내게 메시지로 보내주었다. 나는 그중에서 일본 카레 집을 골랐다.

우리는 이른 저녁을 먹으러 조도가 낮고 면적이 좁은 일본 카레 집에 들어갔다.

"효주 학생, 이제 제법 어른티가 나요. 성숙해지고 예뻐졌네요."

나는 교수님의 고백 같은 인사에 어쩔 줄 몰라 하면서도, 불쑥 키가 큰 자신이 자랑스러워 허리를 꼿꼿이 세우고 가슴을 펴는 아이처럼 당당하게 웃었다. 우리는 밥과 함께 맥주를 한 잔씩 마셨다.

"효주 학생, 복학할 거예요?"
"교수님 사실 저는 거기 있는 모든 사람이 싫어요. 그 사람들은 다 이기적이고 자신만이 옳다고 생각해요.

그곳에 돌아가서 남은 학기를 다닐 자신도 없고, 이제는 연기를 사랑한다고 말하기도 어색해요."

"……"

"뭘 해야 할지 모르겠어요. 아무것도 못 하겠어요."

이후 침묵이 흘렀다.

"저는 춘천으로 가요."

한참의 정적 끝에 교수님이 뱉은 말을 나는 단번에 이해하지 못했다. 처음엔 춘천에 있는 대학에 출강을 나간다는 말인 줄 알았는데, 그게 아니라 춘천에 있는 문화재단에 그러니까 춘천에 있는 회사에 취직했다는 말이었다.

"교수님 이제 교수님 안 하실 거예요?"

나는 진지한 얼굴로 물었다. 교수님은 남은 맥주를 한 번에 들이켰다.

"이제 그만 하려고요. 내 길이 아닌 걸 오래 욕심낸 것 같아요."

나는 교수님의 나이를 정확히 모른다. 그녀의 외형과 말투, 분위기로 나이를 지레짐작할 뿐이었는데 중년 여성이 타지에서 새로운 일을 시작한다고 말할 때 어떤 기분일지 가늠이 잘 안되었다. 잔에 남은 맥주를 마시고 교수님의 눈을 오래 바라봤다. 다른 말보다 고개를 천천히 끄덕이고 싶었다. 교수님이 나를 보고 웃었다.

"교수님은 잘 해내실 것 같아요."
"효주 학생도 좋은 길을 분명 찾을 거예요."
"저 춘천 가면 닭갈비 사주세요."
"언제든지요."

나는 춘천에 닭갈비를 먹으러 가는 것이었다. 닭갈비를 먹으러 춘천에 가는 건 라멘을 먹으러 일본에 가는 것만큼이나 낭만적인 일이었다. 그 낭만에 반가움과 기쁨을 더해줄 사람이 나를 기다리고 있다고 하니 창밖으로 벚꽃이 흩날리는 장면 따윈 쉽게 지나쳐버릴 정도로 가슴이 벅찼다.

기차역에 마중 나온 교수님을 보자마자 달려가 냅다 안겼다.

"춘천에 온 걸 환영해요."

교수님은 그새 흰머리가 많아지고 주름이 늘었지만, 여전히 나긋한 목소리와 표정으로 나를 반겨주었다.
나는 가방에서 책과 편지를 꺼내 교수님께 드렸다.

"제가 좋아하는 작가가 쓴 에세인데요. 너무 좋아서 아껴 읽는 책이에요."

나는 그렇게 말하고 왠지 눈물이 날 것 같았다. 오랜 고민과 약간의 충동으로 글을 쓰겠다고 결심한 후에 대학에 다시 들어왔지만 매일 밤 고민했다.
'잘한 선택일까? 돈을 벌어야 했던 건 아닐까? 섣부른 선택이었나?'
그런데 교수님께 책을 선물 하고 나니, 내가 좋아하는 것을 당당하게 남에게 추천할 수 있는 자신이 대견하게 느껴졌다. 또 그 사람에게 마음을 표현할 여유가 생긴 것 같아 뿌듯했다. 울컥한 마음에 괜히 "제가 춘천 닭갈비를 얼마나 벼르고 있는 줄 아시냐"며 화제를 돌렸다.
우리는 교수님이 예약해둔 석쇠로 굽는 닭갈빗집에 갔다. 서로 고기를 굽겠다고 나서다가 결국 교수님이 경력자라는 이유로 가위와 집게를 들었다.
그때 내 핸드폰에 진동이 울렸다. 애인이었다. 그가 교수님은 잘 만났냐고 물어 그렇다고 대답한 후 당찬 목소리로 말했다.

"교수님! 저 남자친구 생겼습니다!"

지난번 교수님과 술을 마시던 때, 나는 5년간 징그럽게 사랑했던 사람과 헤어진 직후였다. 교수님도 아는 사람이어서 나는 그 사람에 대해 말하는 것에 거리낌이 없었다. 이 사람이 내 마지막 사랑이라고 생각했는데 헤어졌으니 앞으로 사랑 같은 건 하지 않겠다고. 적어도 몇 년간은 혼자서 그 사람을 좀 더 사랑해야겠다고 말했다. 교수님은 살짝 풀린 눈으로 나를 바라보며 힘주어 말했다.

"효주 학생. 정신 똑바로 차려요. 앞으로의 연애는 이보다 더 안전하고 안정적이어야 해요."

당시 나는 교수님의 말을 이해하지 못했다. 헤어진 지 얼마 안 됐을 때, 우리의 사랑은 남들과 달랐고, 가장 멋진 사랑이었기에 당연히 다시 만날 수 있을 거라 생각했다. 그러다 시간이 지나면서 지저분한 기억과 감정들이 수면 위로 둥둥 떠 오르자, 세상에 그런 못된 자식은 없다며 욕을 했다. 그러면서도 한 번만 보고 싶다고 생각했다. 그러다 시간이라는 약을 장기간 복용

한 후 내 일상에서 그가 희미해져 갈 때쯤 나는 교수님의 말을 어렴풋이 이해했다.

그와 나는 "3, 2, 1 레디, 슛!"하면 당겨지는 팽이처럼 서로에게 상처 주고 치고받는 게 사랑인 줄 알았다. 크게 싸우고 세상 끝까지 멀어졌다가, 한 번은 내가 그 사람을, 또 한 번은 그 사람이 나를 좇으면서 부딪히고 멀어지고를 반복했다. 하지만 점점 우리는 부딪히지 않아도 혼자서 흔들렸고, 종내엔 서로에게 가장 멀리 떨어진 곳에서 픽하고 중심을 잃으며 끝이 났다.

이후에 만난 사람과 나는 오래 걸었다. 각자 저녁을 먹고 잠깐 걷자며 만나서는 밤이 새벽이 될 때까지 걸었다. 걷자고 한 사람은 기껏 사람을 불러내 놓고 아무 말도 하지 않았다. "오늘은 저쪽으로 갈까요?" "잠깐 앉을까요?" 그렇게 묻는 게 다였다. 고요하고 습한 여름 새벽을 몇 번이나 같이 맞자 나는 그의 침묵이 편안하게 느껴졌다. 좋아한다고 고백한 건 그였는데 만나봅시다 말한 건 나였다. 그날 집에 들어와 침대에 누웠을 때 교수님 생각이 났다. "제가 매주 기도할게요. 효주 학생 좋은 사람 만나게 해달라고." 그 기도가 오래 돌아 내게 닿았다고 생각했다.

교수님은 내가 애인과 찍은 사진을 보며 박수를 치며

좋아해 주셨다.

"좋은 사람이죠?"
"네, 정말 좋은 사람이에요."

나는 그렇게 확신할 수 있어서 기뻤다. 그리고 한편으로는 죄송했다. "저도 교수님이 좋은 분 만나게 해달라고 기도할게요."라고 한 뒤 한 번도 교회에 나가 기도해본 적이 없었기 때문이었다.

우리는 닭갈비에 볶음밥과 김치말이 국수까지 해치운 후 가게를 나왔다. 그리고 산 중턱에 있는 오래된 카페에 갔다. 춘천을 한 번에 내려다 볼 수 있는 곳이었다. 우리는 야외 테라스에 앉아 따뜻한 커피를 마셨다.

교수님이 요즘 어떤 생각들을 하며 사느냐고 물었다. 나는 예전엔 내가 뭘 하고 싶다 혹은 하기 싫다고 말하면 어른들이 이것저것 간섭하는 게 싫었는데 요즘은 오히려 그 간섭이 그립다고 했다. 요즘 어른들은 왜 이렇게 나를 존중하는지 모르겠다며 우스갯소리로 말했다.

교수님이 조용히 내 등을 쓸었다. 나는 그 손길이 다 자란 아이는 어른이 되어야 한다고 말하는 것처럼 느껴져 슬퍼졌다. 하지만 동시에 이런 이야기를 할 수 있는 어른이 있어서 나는 어느 때는 아이일 수 있겠다고 안도했다.

우리는 겉옷 위에 담요를 두르고 앉아 노을이 지는 걸 바라봤다. 우리의 눈앞에 춘천이 서서히 주황빛으로 물들고 있었다.

“아 참, 저 집 샀어요.”

교수님이 말했다.

“다음에 춘천 오면 집에 놀러 와요.”

그렇게 말하는 교수님의 얼굴이 아이처럼 맑고 즐거워 보였다. 교수님이 지갑에서 명함을 꺼내 내 앞에 두었다.

“이제 나는 효주 학생의 교수가 아닌데, 호칭 정리를 할 필요가 있지 않을까요? 효주 씨 이렇게 부르는 거 어때요?”

나는 그렇게 말하는 교수님을 한 번 보고 명함에 적힌 직함을 다시 보고 말했다.

"교수님이 저를 효주 씨라고 부르면, 저는 교수님을 김현정 팀장님이라 부르겠습니다."

교수님은 곧바로 원래 부르던 대로 하자고 했다. 하지만 가능하다면 나중엔 교수님을 선생님이라 부르고 싶다고 혼자서 생각했다. 먼저 선, 날 생. 먼저 태어난 사람. 나는 혼자서 조용히 먼저 선, 날 생을 웅얼거렸다.

그 대화를 끝으로 춘천에 해가 사라지고 어둠이 내리는 걸 오랫동안 지켜봤다.

여름

언제부터가 아니라 원래부터

집 앞 공원을 산책할 때면 합이 잘 맞는 반려견과 견주를 볼 때가 있다. 느슨한 하네스 끈을 사이에 두고 둘은 같은 곳을 향해 여유롭게 걷는다. 서로가 원하는 곳으로 가기 위해 줄을 팽팽하게 당기고 당겨지는 반려견과 견주들 사이에서 상대의 보폭에 맞춰 걷다가 같은 곳에서 쉬고 다시 발맞춰 걸어가는 그들은 아름다워 보이기까지 하다.

그들과 마주칠 때마다 나는 내 주변 사람들을 생각한다. 본인 쪽으로 줄을 당기는 팽팽한 사이가 아니라 느슨한 줄을 서로 쥐고 나란히 걷는 사람들. 우리들.

고등학교 친구 중에 주주라는 친구가 있다. 나는 그 친구를 주주라고 부르고, 그 친구도 나를 주주라고 부른다. 우리 둘 다 이름이 '주' 자로 끝나기 때문이다.

고등학교 졸업 후, 우리는 이런저런 이유로 자주 못 보다가 몇 년 전부터 계절이 바뀔 때마다 만나고 있다.

우리는 여름을 맞아 햇빛 아래 가장 아름다운 광화문에서 보기로 했다. 약속 시간보다 조금 일찍 도착한 나는 혼자서 광화문 주변을 서성거렸다. 몸을 밀착해 팔짱을 끼고 걸어가는 연인과 몇 겹의 한복을 아무렇지 않게 입고 족두리까지 쓴 외국인들, 아이의 양손을 나눠 잡고 걸어가는 부부들은 이 날씨와 전혀 상관없는 사람들처럼 보였다. 그들 틈에서 나는 사우나 맥반석 계란이 되어가는 기분으로 서서 반쯤 풀린 눈으로 한자로 된 광화문을 '과앙화아아무우우운' 하고 읽고 있었다.

그때 카라가 큰 아이보리 색 셔츠 원피스를 입은 주주가 크게 팔을 흔들며 나를 향해 뛰어왔다.

"주주! 뛰지 마! 더워!"

그녀는 아랑곳하지 않고 내가 있는 곳까지 단번에 달려왔다. 주주가 몰고 온 바람이 시원하게 내 땀을 식혀줬다.

우리는 궁에 들어갈 계획이었는데, 날이 너무 더워 카페에 먼저 가기로 했다. 서촌 방향으로 몸을 틀어 걸었다. 주주가 내게 팔짱을 꼈다. 아까는 팔짱 낀 연인들이 그렇게 더워 보이고 답답해 보였는데 막상 해보니 그렇지도 않았다. 우리는 주주가 미리 검색해온 아인슈페너 맛집을 찾아갔다. 그곳은 '서촌' 하면 떠올릴 법한 복잡한 골목에서 벗어나 주택가 쪽에 있었다.

안타깝게 주주들은 길치였고, "여긴가?" "아닌데?" "여긴가?" "아니야." "여기다!" "아닌데...?" 를 몇 번 반복하고 나서야 겨우 카페에 도착했다.

"이런 곳에 카페가 있다고?"
"아닌 거 같은데?"

하는 순간, 진회색 벽돌 건물 앞에 옹기종기 서서 커피를 마시는 사람들이 보였다. 우리는 직감적으로 그곳이 우리가 찾는 카페라는 걸 알 수 있었다.

"평일 낮에 사람이 저렇게 많다고?"
"찐 맛집이다!"

우리는 뛰다시피 그쪽을 향해 걸었다. 사람들은 카페

주변을 두르고 서서 또 나무 그늘진 바닥에 앉아서 커피를 마시고 있었다. 가게 내부에 자리가 없어서 그런 듯했다. 우리는 무리 틈을 뚫고 카페 내부로 들어가 보기로 했다.

카페에는 전구 색 조명이 듬성듬성 켜져 있었고 진녹색으로 칠해진 벽이 독특한 분위기를 만들고 있었다. 한쪽 면이 큰 창으로 되어 있어 그곳을 통해 들어오는 햇빛이 카페 분위기와 어우러져 포근하고 시원하고 쾌적했다. 창으로 들어오는 조각 빛이 여유롭게 일렁이는 카페 분위기에 압도된 우리는 멍하니 서 있었다. 멀뚱멀뚱 서 있는 우리에게 직원이 다가왔다. 직원은 먹고 갈 거냐 가져갈 거냐 물은 뒤, 먹고 가려면 대기자 명단을 쓰고 밖에서 기다려야 한다고 했다. 자리가 나면 연락을 주겠다고 했다. 우리는 뭐에 홀린 듯 먹고 가겠다고 답했다. 다시 밖으로 나온 우리는 연락이 올 때까지 주변을 산책하거나 그늘이 있으면 잠깐 앉아 쉬기로 했다. 다시 팔짱을 끼고 왔던 곳 반대편으로 걸었다. 5분 정도 걷자 넓은 공터로 들어가는 입구가 보였다.

"저기 가볼까?" 주주가 물었고, 나는 좋다고 대답했다.

그곳에 들어가자 오른쪽엔 커다란 박물관이 있었고, 왼쪽엔 작은 정자가 보였다. 등산복을 입은 할아버지가 작은 라디오를 켜두고 정자 의자에 누워 있었다. 우리는 할아버지와 조금 떨어진 곳에 앉았다. 라디오에서는 익숙한 여자 연예인의 목소리가 들려왔다. 여름 오후의 햇빛처럼 쨍쨍하고 맑은 목소리였다. 가끔 신호를 잡느라 지지직거리는 라디오를 엿들으며 우리는 그곳에 계속 앉아 있었다. 라디오에서는 1900년대 음악이 흘러나오고 있었다.

"저거 뭐야?"

짧은 침묵을 깨고 주주가 물었다.

"저거 청와대야?"

주주가 다시 물었다.

"그런 것 같은데?"

내가 답했다.

"청와대가 원래 저기 있었나?"

내가 다시 물었다.

“어... 맞네. 원래 청와대는 저기 있었어.”
“언제부터 ? ”

나의 순수한 질문에 주주는 음, 하며 생각하다가 답했다.

“원래부터 저기 있었어.”

생각해보니 맞는 말이었다. 우리는 경복궁 근처에 있었고, 서울의 중심이었고, 거기는 청와대가 있기에 매우 알맞은 장소였다. 어쩌면 알맞은 장소를 넘어 그곳이 아닌 곳에 있는 청와대는 상상할 수 없을 정도로 당연한 위치였다.

“우리 방금 되게 바보 같았다, 그치.”
“응, 진짜 바보 같았어.”
“그래, 청와대가 저기 있지 그럼 어딨겠어 ? ”
“맞아. 원래부터 저기 있었는데.”

그렇게 한참 웃고 있는데 주주 휴대폰에 진동이 울렸다. 카페 실내에 자리가 났으니 10분 안에 오라는 연락이었다. 우리는 기분 좋게 일어났다. 그리고 다시 팔짱을 끼고 카페를 향해 걸었다. 그늘에서 잠깐 쉬어서 그런지 발걸음은 전보다 훨씬 가벼웠다.

카페에 들어간 우리는 아인슈페너 맛집인 만큼 아이스 아인슈페너 두 잔과 레몬 파운드케이크 하나를 시켰다. 마침 자리가 난 곳이 창가 쪽이라 우리는 기분 좋게 가서 앉았다. 시원한 실내로 들어오는 포근한 햇빛을 맞으며 우리는 대화를 이어갔다. 연애, 가족, 취업, 불확실한 미래에 대한 불안 같은 칙칙하고 재미없는 주제를 가지고도 우리는 신나게 이야기하는 재주가 있었다.

커피와 디저트가 나왔다.

아인슈페너의 크림은 꾸덕하면서도 달지 않아서 밑에 깔린 아메리카노와 환상궁합이었다.

"가히 아인슈페너 맛집다워!"

"인정이야!"

살짝 차가웠던 레몬 파운드케이크는 우리가 쉴 새 없이 이야기하는 동안 창가로 들어오는 햇빛을 받아 조금 따뜻해졌다. 포크로 푸욱 하고 찌르면 폭신하게 들어가는 느낌이 좋았다. 고등학교 시절, 시험 끝나고 떡

볶이를 먹던 때처럼 우리 앞에 놓인 것 하나하나가 만족스럽고 즐거웠다.

그렇게 커피를 마시고 광화문을 구경하고 맛있는 고기에 맥주까지 한잔한 후, 우리는 다음 계절에 만날 것을 약속하며 헤어졌다.

집으로 돌아가는 지하철 안에서 나는 우리가 나눴던 대화를 되짚어봤다.

언제부터가 아니라 원래부터 거기 있었던 것. 그건 청와대뿐만 아니라 주주이기도 했다.

사실 내 주변엔 사람이 별로 없다. 조금 있었던 사람들도 떠났다. 어느 한 시기에 나는 많이 불안했고 나를 아껴주고 사랑하는 사람들의 사랑과 관심마저 부담스럽고 그 마음을 받는 것도 버거웠다. 그래서 몇몇은 내가 떠났고, 또 몇몇은 그런 나를 못 견뎌 떠났다. 모두 내가 사랑했던 사람들이었고 누구보다 날 아끼던 사람들이었다. 그 시기가 지나고 나서도 그들은 종종 뾰족한 밤이 되어 내 꿈에 찾아왔고, 나는 그들에게 몇 번씩 사과하면서도 그만 이 악몽에서 깨고 싶었다.

그리고 그 시기가 지나고 그들이 내 꿈에도 더 이상 나타나지 않을 때쯤 나는 주주를 다시 만났다. 그리고 물어봤다. 너는 왜 아직 내 옆에 있느냐고. 주주는 그냥이라고 했다.

"그냥 네가 좋으니까, 나는."

그때는 겨울이었고, 우리는 사위가 깜깜하고 드문드문 작은 알전구만 몇 개 켜져 있는 카페 한 귀퉁이에 앉아 있었다. 나는 엉엉 울고 싶었는데 주주가 너무 퉁명스럽게 말해서 왠지 나도 고개만 끄덕여야 할 것 같았다.

그 말을 들은 후 나는 빚을 갚는다는 마음으로 산다. 나의 불안한 시간이 무사히 지나가길 기다리며 기도하며 고요히 내 옆을 지켜준 사람들에게. 자신의 쪽으로 잡아당기거나 내 쪽으로 밀착하지 않고 조금 떨어진 곳에서 하지만 끈을 놓지 않았던 사람들에게.

"너는 언제부터 거기 있었니?" 묻는 내게 "원래부터 여기 있었다" 말하는 사람들에게.

그때가 지나고 난 후에도 나는 몇 번 불안한 시기를 맞았지만, 그때처럼 사랑하는 사람들을 떠나는 바보 같은 짓은 하지 않는다. 오히려 저들이 있으니 얼른 돌아가야겠다는 용기가 생긴다. 얼른 이 시기를 지나 저들과 알맞은 날에 만나 맛있는 커피를 마시고 바람이 부는 곳을 산책하고 불행한 현실도 아름답게 바라볼 시간을 갖고 싶어 더욱 세게 발버둥을 치며 일어선다.

그들과 같이 걷는 상상을 하며.

시나브로 성장 중

여름 방학이 끝나가고 있었다. 방학 내내 본가에서 고양이와 놀다가 2학기 개강을 2주 앞두고 다시 자취방으로 돌아갈 계획이었다.

그러니까 그날 원래 내 계획은 본가에서 광주 버스터미널, 광주 버스터미널에서 안산 버스터미널로 가는 것이었다.

그런데 광주 버스 터미널에서 안산행 티켓을 쥐고 가만히 앉아 있자니 단전 어디에서부터 몽글몽글하고 간질간질한 것이 가슴께까지 올라왔다. 여행 신호다. 떠나고 싶다는 신호였다. 그때 내 눈앞에서 부산행 버스가 터미널을 빠져나가고 있었다. 나는 그대로 안산행 티켓을 환불하고 부산으로 가는 티켓을 끊었다. 무려 프리미엄 버스로.

버스를 타기까지 약 2시간이 남았다. 나는 터미널과 연결된 신세계백화점으로 갔다. 바로 집에 갈 생각이었으므로, 나는 후줄근한 검정 반팔 티에 얇은 베이지색 바지를 입고 빨간 MLB 모자를 쓰고 있었다. 다른 건 몰라도 밤이 되면 바닷바람이 꽤나 거셀 테니 걸칠 옷이 필요했다(고 생각했다). 때마침 가판대에서 75% 세일하는 흰색 셔츠를 발견했다. 조금 넉넉한 사이즈로 구매한 후 카페에 가서 커피를 한 잔 마셨다. '이게 얼마만의 혼자 여행이야.' 곰곰이 생각해보니 거의 3년 만이었다. 아까부터 간질간질하던 마음이 주체할 수 없는 흥분으로 바뀌었다. 이 뙤약볕에 부산까지 뛰어가 그대로 해운대 바다에 입수하는 상상을 했다.

버스 안에서 음악도 듣고 영화도 보다 보니 금방 부산에 도착했다. 버스에서 내리자마자 있는 힘껏 숨을 들이마셨다. 단 몇 시간 만에 낯선 곳에 도착해 맡는 첫 숨은 언제나 감동적이었다.

나는 버스에서 미리 검색해본 카페에 가기 위해 지하철을 탔다. 버스터미널과 몇 정거장 떨어지지 않은 곳에 있는 그 카페는 세계 바리스타 대회에서 우승한 바리스타가 있는 카페로 유명했다. 지하철에서 내려 구글맵을 켜고 카페를 향해 걸었다. 그런데 생각해보니, 한 끼도 안 먹었다. "부산은 국밥이지!" 외치며 근처에 있는 국밥집에 들어갔다. 돼지국밥을 한 그릇 든든하게 먹고 나오니 해가 지고 있었다. 얼른 카페로 발걸음을 옮겼다.

마감 시간이 임박한 시간에도 손님이 많았다. '가히 세계 바리스타 대회 우승자가 계신 곳이군.' 생각하며 처음 보는 스페셜티 커피를 주문했다. 커피와 함께 레몬 마들렌도 하나 시켰다. 주문하고 자리에 앉아 있으니 직원분이 정성스럽게 내린 커피와 디저트를 가져다줬다. 레몬 마들렌 위에는 작은 금박이 올려져 있어서 괜히 더 기분이 좋았다. 커피 밑에 깔린 컵 노트에는 '스페셜 리저브 알지단 예멘' 이라고 커피 이름이 적혀 있었고 그 밑에 작은 글씨로 '블루베리, 초콜릿, 웰밸런스, 클린' 이라고 쓰여 있었다. 한 모금 살짝 마셨는데 깜짝 놀랐다. 컵 노트에 적힌 맛이 그대로 느껴졌기 때문이었다.

"와, 너무 맛있어!"

나도 모르게 탄식을 뱉었다. 블루베리의 상큼함과 초콜릿의 묵직하고 고소함이 깔끔하게 조화를 이루는 맛이었다. 말 그대로 잘 만든 커피였다. 포슬포슬하면서도 부드러운 레몬 마들렌을 조금 떠서 입에 넣고 오물오물 씹다가 커피 한 모금을 마셨다. 입 안에서 두 가지가 은근히 섞이는 느낌은 환상적이었다. 달콤하고 쌉싸름함이 한가득 입안에서 퍼졌다. 밥을 먹고 온 게 후회됐다.

'밥을 안 먹고 왔으면 커피랑 디저트를 하나씩 더 시켜서 먹었을 텐데…….'

아쉬움을 남긴 채 광안대교 근처 게스트하우스로 이동했다.

막상 숙소에 도착하니 뭘 입고 자야 할지 난감했다. 혹시 몰라 가방을 뒤졌는데, 속옷 한 장과 나시 한 장이 들어 있었다. 이 우주가 내 즉흥 여행을 미리 알고 이렇게 준비해주는구나 싶어 기분 좋은 마음으로 샤워를 하고 나왔다. 샤워를 하며 그날 입은 속옷을 빨았다. 수건으로 돌돌 말아 물기를 제거한 후 침대 발밑에 있는 선반에 널어두었다. 침대마다 칸막이 커튼을 칠 수 있는 곳이었기에 커튼을 치고 새 팬티와 나시를 입고 포근한 이불에 들어가니 천국이 따로 없었다.

그날의 기분을 기록해두려고 노트를 꺼냈다가 도로 집어넣었다. 쓰지 않고 읽지 않기로 했다. 눈앞에 있는 것에 집중하기로 했다.

원래 계획은 다음 날 일어나서 밥 한 끼 먹고 진짜로 집에 갈 생각이었다. 그런데 어쩐지 그러면 안 될 것 같았다.

'마음 가는 대로 해보자.' 어디까지 마음이 닿을 수 있을지 생각하며 숙소를 나왔다. 광안리 해안가를 걸었다. 이른 오전이었기 때문에 사람들은 별로 없었다. 나는 앉을만한 곳을 찾다가 괜히 모래에 한번 앉아보고 싶었다. 그래서 밟고 있던 모래를 발로 평평하게 다진 후 앉아봤다. 햇빛에 달궈진 모래가 엉덩이에 닿아 뜨끈했다. 뜨끈하면서도 따뜻했다. 바닷바람이 불어와 시원하기도 하고, 찝찝하기도 했지만 그냥 그렇게 한동안 앉아 있었다.

그러다 벌떡 일어났다. 영도에 가야겠다고 생각했다. 몇 년 전, 부산에 있는 친구들을 보러 부산 여행을 온 적이 있는데, 친구 중 한 명이 차를 빌려 영도에 데려갔다. 거기엔 할머니 할아버지가 운영하는 작은 라면집이 있는데, 일반 국물 라면으로 비빔라면을 하는 곳이었다. 처음 그 라면을 먹었을 때의 충격이 불현듯 떠오른 것이다. 시큼하고 달짝지근하고 살짝 매콤한, 생전 처음 먹어보는 맛이었다.

버스를 두 번 갈아타고 영도에 갔다. 영도로 가는 버스 안에서 커피가 맛있는 곳을 찾다가 유진목 시인이 운영하는 카페가 영도에 있다는 걸 알아냈다. 라면을 먹은 후 그곳에서 바다를 보며 커피를 마시면 좋겠다는 생각을 하자 '아, 이렇게 행복해도 되는가.' 하는 진지한 고민을 잠깐 했다. 아주 잠깐. 금세 '충분히 된다. 오히려 더 행복하면 좋겠다.' 생각했다.

그러나 밀도 높은 행복은 위험하다는 듯, 2년 만에 먹은 비빔라면은 그저 그랬다. 그때만큼의 충격을 주진 못했다. 가끔 생각날 것 같긴 하지만 아주 특별한 맛은 아니었다. 그 사이 맛이 변했을 수 있었다. 그러나 맛과 별개로, 살면서 다시 올 거라고 생각하지 못한 곳을 다시 왔다는 반가움은 컸다. '그거면 됐지.' 친구들과 셋이서 한 그릇씩 앞에 두고 먹었던 라면을 혼자서 먹고 있으니 기분이 새로웠다. 만약 친구들이 시간이 된다면 만나도 좋겠다고 생각하며 가게를 나왔다.

다시 버스를 타고 카페를 찾아갔다. 핫플레이스라고 소문난 곳이어서 그런지 평일 낮에도 사람이 많았다. 대부분 일행이 있었다. 2층으로 올라가 바다를 한눈에 볼 수 있는 다인석에 앉았다. 햇빛이 정면으로 쬐어 바다를 제대로 볼 수도 없었다. 아주 반짝반짝거리는 무언가가 내 눈앞에서 사라지지 않는다는 감각과 직화 통구이가 되어가고 있다는 느낌만 있을 뿐이었다. 그런데 어쩐지 그 기분이 나쁘지 않아서 의자를 뒤로 빼 오히려 온몸으로 그 햇빛을 받았다. 내 옆에 앉은 여자가 노트북을 켜고 무언가를 쓰기 시작했다. 나는 가만히 눈을 감고 있었다. 일행이 있었다면 낮잠을 잘 테니 좀 이따 깨워달라고 하고 싶었다. 따갑긴 해도 이상하게 잠을 잘 수 있을 것 같이 포근한 햇빛이었다.

그렇게 한동안 가만히 눈을 감고 앉아 있다가 친구에게 편지를 쓰기로 했다. 아무것도 안 쓰기로 했지만 친구에게 편지는 쓰고 싶었다. 유진목 시인을 알게 해준 친구였다. 1층 주문대로 내려가 카페에서 판매하는 카드를 하나 구입해 편지를 썼다. 유진목 시인을 봤는데 막상 보니 떨려서 그냥 모르는 척했다. 다음에 오면 꼭 같이 인사하자. 너는 언제나 나에게 용기를 주는 사람이니까 분명 너랑 같이 있으면 인사할 힘이 생길 것 같다는 내용이었다.

뻔한 말이지만 혼자 하는 여행의 장점은 혼자라는 점이고 단점도 혼자라는 점이다. 혼자기 때문에 뭐든 내 멋대로 할 수 있지만, 좋은 곳을 보고 맛있는 걸 먹을 때 같이 나눌 수 있는 사람이 없기 때문에 조금 외롭다. 물론 그럴 때마다 그들에게 편지를 쓰거나 연락을 할 수도 있겠지만, 같은 시간 같은 공간에서 비슷한 호흡을 나누는 것과 일방적으로 내가 느낀 아름다움을 강요하는 건 아주 다르니까 아쉬울 수밖에 없는 것이다.

그래서 나는 지금을 같이 즐길 수 있는 사람들을 찾아갔다. 저번에 나를 부산으로 초대했던 그 친구들이었다.

그들과 나는 4년 전 호주에서 만났는데, 셋 다 비슷한 시기에 워킹 홀리데이를 와서 금방 친해졌다.

당시 나는 23살이었다. 나의 룸메이트였던 친구는 22살이었고, 우리는 그 친구를 제이제이 혹은 도비라고 불렀다. 다른 집에 살았지만 거의 같이 살았던 거나 다름없었던 친구는 26살로 우리는 그를 민이라고 불렀다. 그들은 나를 리(Lee)라고 불렀다.

우리는 나이도 다르고 하는 일도 다르고 하고 싶은 일도 다르고 성격도 각양각색이었지만 빠르게 친구가 됐다. 우린 만나서 수영장 가서 놀고 수영이 끝나면 민의 집에 가서 민이 해주는 다양한 요리를 먹으며 밤새 이야기하며 놀았다.

나는 부산에 사는 그들이 너무 보고 싶었다. 내가 혼자서 바라본 부산이 얼마나 아름다웠는지도 이야기하고 싶었다.

그들에게 갑작스럽게 연락했을 때, 도비와 민은 어서 오라며 나를 반겼다. 그날 밤, 우리는 호주에서처럼 각자의 일을 끝내고 민 집에서 모이기로 했다.

나는 민 집에 가기 전에 근처 독립서점에 들렀다. 둘에게 내 마음을 전할 수 있는 책을 선물하고 싶었다. 한참을 고르다가 도비에게는 최은영 작가의 『내게 무해한 사람』을, 민에게는 임솔아 작가의 『최선의 삶』을 선물하기로 했다. 짧게 편지도 썼다. 편지를 쓰다 보니

우리가 보낸 호주의 밤들이 매번 아름다웠던 건 아니었다. 우리는 어리고 연약했다. 우연처럼 우리는 모두 한국이 지긋지긋해서 도망치듯 떠나온 사람들이었고, 그래서 작은 일에도 상처받고 울었다. 그럼에도 낯선 땅에서 꿋꿋이 살아냈다. 그게 우리의 최선이었음을 나는 안다. 서로에게 무해한 존재가 되기 위해 여러 방면으로 뒤척였던 순간들을 기억하며, 이제는 추억할 수 있음에 감사하는 마음을 편지에 담았다. 편지를 쓰다 보니 그렇게 힘들게 뒤척이던 시간이 이제는 한 계절 지나간 것 같은 안도감에 자꾸 울컥했다.

내가 느낀 그 안도감은 우리 셋이 오랜만에 모여 로제 떡볶이와 튀김을 먹자 더더욱 실감할 수 있었다.

우리는 여전히 어떻게 살아야 하는지 고민했지만, 희망을 볼 줄 알았고, 아름다운 것을 온전히 누리고 감사할 줄 아는 힘도 생겼다.

처음 만났을 때 22살이었던 도비는 그때 많이 의지하던 26살 민의 나이가 되었다. 그 사실이 새삼 놀랍고 신기하고 반가웠다. 도비가 지금 안고 있는 고민들과 여러 뒤척임 속에서 발견한 삶의 아름다움이 그때 민이 갖고 있던 마음과 얼마만큼의 간극을 갖고 있을까 생각해봤다. 가늠할 수 없었다. 그래서 나는 언제나 민에게 미안했다. 나이 때문이 아니라 민은 모든 면에서 우리보다 어른이었다. 그런 민이 조금이나마 기대고 의지할 수 있는 사람이 되고 싶었지만, 그럴수록 민의 사랑은 더 커져서 매번 내가 우러러 볼 수밖에 없었다. 그래서 나는 항상 민의 행복을 빈다. 당신의 따뜻함과 사랑을 내가 넉넉히 알고 있으니, 부디 언제나 행복하길. 즐겁길. 아름답길 기도한다.

도비를 떠올리면 주먹을 불끈 쥐게 된다. 입술도 앙물게 된다. 그리고 "잘하고 있어! 대견해! 멋있어!" 이렇게 말하는 장면을 상상한다. 상상 속 나와 마주 보고 있는 사람은 도비가 맞는데, 언제는 22살의 도비였다가 언제는 24살의 도비였다가 또 언제는 26살의 도비다. 또 가끔은 22, 23살이었던 도비와 나에게 말해주기도 한다. 그건 당시 우리에게 필요한 말이면서 동시에 지금도 유효한 응원이라는 생각이 든다. 그래서 나는 한결같은 마음으로 도비의 발버둥을, 도비의 삶을, 도비의 선택을, 도비의 마음과 즐거움을 응원한다. 도비가, 또 도비와 내가 우리의 길을 잘 걸어내길 기도한다.

우리는 호주에서 있었던 일들을 추억하고, 내가 혼자 누린 부산을 나누고, 못 본 사이 있었던 일들을 얘기하며 웃고 화내고 안타까워하다 새벽을 꼴딱 샜다. 조금 눈을 붙인 뒤, 민의 출근 시간에 맞춰 일어나 각자 갈 길로 흩어졌다. 민은 일터로, 나와 도비는 각자의 집으로.

나도 이제는 정말 집에 가야 할 때였다. 민 집에서 김해 공항이 가까워서 집에 갈 때는 비행기를 타려고 했다.

그러나, 나는 다시, 이렇게 이른 시간에 떠나는 건 아깝다는 생각이 들었다. 그래서 첫날 갔던 카페에 다시 갔다.

민 집에서 카페까지는 지하철로 약 30분이 걸렸다.

다시 간 카페에서 첫날 먹었던 커피와 브런치 메뉴인 크루아상 샌드위치를 시켰다. 날이 조금 시원해서 2층 야외 테이블로 갔다. 앉아서 가만히 눈을 감았다. 오른쪽으로는 새 소리가, 왼쪽으로는 사람들이 대화하는 소리가 들려왔다. 바람이 불었고, 나뭇잎이 흔들리며 내는 소리가 색색-하며 들려왔다. 참 다정한 날씨다, 생각했다. 그리고 휴대폰 메모장을 켜 '시나브로 성장 중'이라고 썼다.

3년 전 혼자 호주의 소도시와 발리를 여행했다. 나는 그때 혼자 있는 법을 몰랐고, 혼자 여행하는 것은 더더욱 낯설었다. 하지만 그때 한창 '혼자 여행하기'가 유행하고 있었고, 나도 유행에 발맞춰 가기 위해 한국에 돌아가기 전에 혼자 여행을 해봐야겠다 싶었다. 인터넷을 뒤져 남들이 가는 곳에 찾아가고 남들이 먹는 곳에 가서 밥을 먹고 남들이 쉬는 대로 쉬었다. 그 일정이 나와 맞는지 안 맞는지는 중요하지 않았다. 나도 남들처럼 혼자 여행할 수 있다는 게 당시 내겐 제일 중요했다.

그러다 머리카락이 뭉텅이 채 굴러다니고, 캐비넷엔 누가 언제 두고 갔는지 모를 속옷이 놓여 있고, 위층에서는 밤새 드럼을 치고 노래를 부르던 게스트 하우스에 도착했다. 그때 나는 창이 없는 어두운 방 안에서 천장이 무너질지도 모르는 두려움보다 혼자라는 무서움보다 이 무서움을 공유할 사람이 없어 울었다.

그 때문인지 지난 3년 동안 혼자 여행하는 걸 좀 두려워했다. 다른 사람의 여행 방식이 나랑 맞지 않았던 것도 있었고 끝없이 외로워지는 기분이 싫었다. 그런데도 종종 다시 한 번 도전해보고 싶다는 생각을 했다. '나중에, 나중에...' 그렇게 차일피일 미루던 게 3년이나 된 것이었다.

그런데 이렇게 무작정 떠나보니 별거 아니었다.

이제 나는 내가 맛있는 밥보다 맛있는 커피를 좋아한다는 걸 알고 대중교통을 이용하는 것보다 걷는 걸 좋아한다는 걸 안다. 현지 체험보다 공원에서 멍때리는 걸 좋아하는 걸 알고 혼자 생각하는 걸 좋아하는 것도 안다. 지난 3년 동안 내가 안다는 것을 깨달을 시간이 없었을 뿐이었다.

이렇게 생각하자 나 자신이 대견해 견딜 수 없었다.

나는 언제나 나를 잘 아는 사람이 되고 싶었다. 좋아하는 것과 싫어하는 것을 분명히 알고 그걸 당당히 말할 줄 아는 사람이 되고 싶었는데, 나도 모르는 사이에 조금씩 조금씩 그 모습을 만들어가고 있었다고 생각하니 이 기쁨을 주체할 수 없을 정도로 자랑스러웠다.

결정적인 순간이 있어야 알게 되는 것들이 있다. 편혜영 작가의 단편소설 <저녁의 구애>에 나오는 주인공이 교통사고 현장을 보고 나서야 내가 그 여자를 사랑한다는 걸 깨닫게 되는 것처럼 다시 혼자 여행하지 않았다면 깨닫지 못했을 성장이었다. 나에게 이런 시간을 자주 허락해주어야겠다고 생각했다.

나는 시나브로 성장 중. 모르는 사이 조금씩 조금씩 더 멋진 사람이 되겠지.

가을

고도를 기다리며

아침에 일어나 블라인드를 걷어 올리고 창문을 연다. 조금 서늘한 공기가 코끝을 스친다.

공기 청정기를 틀고 책상 조명을 켜고, 방 불을 켠다. 내 아침 루틴이다. 기분이 좋으면 잔잔한 뉴에이지 음악을 틀어둔다. 따뜻한 물로 샤워를 하고 물을 한 컵 마신다. 식빵을 구워 간단하게 아침을 먹고 따뜻한 커피를 준비해 방으로 들어온다. 책상 의자에 앉는다. 커피 한 모금을 마신다.

이런 날에 생각나는 사람이 있다.

– 언니 오늘 날씨가 좋아요. 밖이에요?

고도에게 문자메시지를 보냈다. 고도는 내 친구다. 전

에 다니던 대학에서 같이 연기를 하던 동기였다. 사무엘 베케트의 『고도를 기다리며』를 좋아해서 고도라고 부르고, 나이는 같지만 서로를 언니라고 부른다.

– 밖이죠. 오랜만에 책 좀 납치해서 집에 걸어가고 있습니다.

고도는 책이 든 두툼한 종이가방을 찍어 보냈다.

– 금세 나가셨네요. 저도 나갈까 봐요. 약속이 취소돼서 시간이 붕 떠요.
– 지금 저 보고 싶다는 거예요? 근데 그거 알아요?
– 뭐요?
– 언니가 날이 좋다고 하는 날엔 항상 미세먼지 가득한 거?

고도는 하늘을 찍어 보냈다. 정말 회색빛 하늘이었다.

– 여기는 맑아요!

나는 창문 밖으로 보이는 맑은 하늘을 찍어 보냈다.

– 우리가 꽤 멀리 있긴 한가 봐요?

고도가 답했다. 나는 안산에, 고도는 의정부에 산다. 우리는 경기도의 끝과 끝에 산다.

- 의정부 가도 돼요 ?
- 멀어요.
- 괜찮아요.
- 그럼 초밥 먹고 영화 볼래요 ? 초밥은 내가 먹고 싶고 영화는 제가 VIP라서 쿠폰이 많아요.
- 뭐든 좋아요. 우선 갈게요.
- 천천히 오세요.

안산에서 의정부까지 지하철로 2시간이 걸린다. 내가 사는 곳에서 지하철역까지는 또 30분이 걸리니 고도를 만나러 가기 위해서는 총 2시간 30분의 시간을 들여야 한다. 하지만 그런 걸 생각하면 안 된다. 그냥 출발해야 한다. 작은 가방에 시집 한 권 넣고, 이어폰과 지갑을 챙겨 가장 가볍게 훌쩍 출발해버려야 한다.

두 시에 집에서 나서서 네 시 반에 고도를 만났다. 우리는 고도가 자주 가는 초밥집에 갔다. 모둠 초밥 하나와 연어 초밥 하나를 시켰다. 우동과 새우튀김도 시켰다.

"그래서요."

고도가 말했다.

"네?"
"언니의 마음은 안녕하세요?"
"네, 뭐. 네. 언제나 똑같죠."

나는 그렇게 말하고 초밥 한 피스를 들어 간장 종지에 담갔다.

"밥은 제가 삽니다. 먼 길 오셨으니."

다시 고도가 말했다.

"간장 종지 같아요. 나요."
"깊고 진하네요."

나는 더 말을 이어가지 못하고 괜히 고추냉이를 간장에 더 풀었다.
밥을 먹고 우리는 중랑천을 걸었다. 고도가 매일 산책하는 천이었다. 날이 좋거나 흐리거나 눈이 오거나 비가 오거나 날씨와 상관없이 고도는 걸었다. 우산을 쓰고 장화를 신고 모자를 쓰고 장갑을 끼고 매일매일 걸었다.

"낮에만 와봤는데 언니랑 걸으니 밤에도 예쁘네요. 이 다리 건너서 돌아갈까요?"

나는 고도가 하자는 대로 했다. 걸으며 많은 얘기를 했는데 무슨 이야기를 나눴는지 정확히 기억나지 않는다. 생각나는 대로 말하고 웃었다.

나는 산책을 즐겨 하는 사람이 아니다. 그래서 산책을 하는 사람들을 볼 때마다 '차라리 뛰거나 아예 앉아 있는 게 낫지 않나?' 싶었다. 앉아서 커피를 마시거나, 운동화를 신고 힘껏 뛰는 게 나와 더 맞다고 생각했다. 그런데 선선한 가을밤에 신발을 끌며 천천히 걷다 보니 "산책 좋네요."라는 말이 절로 나왔다.

"맞다. 밤마실 아직 있어요?"

내가 물었다. 우리가 대학 시절 자주 가던 스몰비어였다.

"사라졌죠. 언니 가고 나서 얼마 안 돼서 사라졌어요."
"밤마실이라는 제목으로 희곡 쓰려고 했던 거 기억하

죠? 아, 그 깡통집은요?"
"거긴 아직도 있어요. 장사 잘돼요."
"역 앞에 있는 카페는요? 거기서 우리 브라우니 쿠키 자주 사 먹었잖아요."
"거기도 사라진 지 오래죠. 가게명 바꿔서 하다가 결국 접었어요."

이런 이야기를 나누다보면 멀리 보이는 불빛 하나하나가 소중해졌다. 사라진 것과 남겨진 것. 터만 남고 사라진 우리의 공간과 여전히 우리 주변을 맴도는 그때의 공기들.

"영화 말고 따뜻한 커피 한 잔 어때요?"

내가 말했다.

"너무 좋죠."

고도는 나를 단골 카페로 데려갔다. 커피와 디저트를 앞에 두고 우리는 이런저런 이야기를 나누었다. 고도는 가방에서 작은 쇼핑백을 꺼냈다.

"언니가 의정부까지 온다고 하시니까 제가 급하게 준

비해봤어요."

그 안에는 고도가 자주 먹는 쿠키와 홍삼 팩 그리고 마스킹 테이프 두 개, 손 편지가 들어있었다.

"매번 이렇게 받기만 해도 됩니까 ? "

내 말에 고도는 웃으며 말했다.
"울적한 날에 저를 찾아와주신 게 얼마나 고마운데요."

나는 그 말을 듣고 한동안 아무 말도 할 수가 없었다. 티를 안 냈다고 생각했다. 요 며칠 기분이 안 좋았던 것, 울적하고 다운된 기분을 숨기려 더 과하게 웃고 즐거워했는데 다 티가 났다니......

"티가 나요? "
"아뇨, 그냥요. 언니가 이렇게 멀리까지 오는 건 그곳에서 최대한 멀리 가고 싶었던 게 아니었나 싶어서요. 넘겨짚었으면 말고요."

나는 더 말할 수 없어 다 식은 커피만 마셨다.
문득 그날이 떠올랐다. 몇 해 전, 아마 그때도 가을이었을 것이다.

한동안 연락이 안 되던 고도에게 문자 메시지가 왔다.

– 새절역 1번 출구 13시.

– 네?

– 여기서 만날래요?

– 언제요?

– 이번 주 수요일에요.

– 네 좋아요.

그때 나는 조금 일찍 도착해 고도를 기다렸다.

고도를 기다리고 있다 생각하니, 사무엘 베케트가 쓴 『고도를 기다리며』 속 주인공 고고와 디디가 된 것 같았다.

매일 같은 곳에서 고도를 기다리는 두 사람은 어떤 마음이었을까. 오지 않는 고도를 올 것이라 굳게 믿으며 기다리는 마음은 어디서 기인한 것일까. 누구를 위한, 무엇을 위한 기다림일까? 혹시 그들은 그냥 기다리는 거 아니었을까? 기다리기로 했으니까 기다리는 것이다. 아니면 고도를 사랑해서 일수도 있고 미워해서 일수도 있다. 꼭 해야 할 말이 있을 수도 있다. 그것도 아니라면 그게 자신이 존재하는 이유라 여긴 건 아

재한다는 걸 체감하게 했던 건 아니었을까. 그러다 어느 순간엔 그 모든 걸 잊고, 그냥. 매일 하던 대로. 일상처럼 기다리게 된 게 아닐까.

나도 그런 마음으로 고도를 기다렸다. 꼭 올 것이라는 믿음과 더불어 그녀를 기다리는 게 내 일상이었던 것처럼.

고도는 정확히 13시에 내 눈앞에 나타났다. 우리는 걸었다. 강을 따라 계속 계속 걸었다. 망원까지 걸었다. 망원 시장에서 떡과 닭강정을 샀다. 각자 커피를 한 잔 사서 다시 걸었다. 한강까지 걸어간 우리는 사람들이 오지 않는 곳을 찾아 또 걸었다. 그러다 찾아낸 곳은 대충 발라진 시멘트 바닥이었다. 발밑에 바로 강이 흘렀다. 우리와 조금 거리를 둔 낚시꾼 두 명이 있었고 다른 사람들은 아무도 없었다. 사람들의 소리조차 들리지 않는 외진 곳이었다. 우리는 마주 보고 앉아서 떡과 닭강정을 먹었다. 해가 지고 있었다.

"언니 나는 살고 싶었던 것 같아요."

고도가 긴 침묵을 깨고 말했다. 고도의 눈에는 눈물이 맺혀 있었다.

"나는 그동안 내가 그만 살고 싶은 줄 알았는데, 나는 살고 싶은가 봐요."

그 말을 들은 나는 옷을 다 벗고 한강으로 뛰어들고 싶었다. 울고 싶기도 웃고 싶기도 했는데 그 감정이 주체가 안 돼서 우선 한강에 빠져 찬물에 정신을 좀 차리고 싶었다. 그 말은 내가 몇 년 동안 고도에게 가장 듣고 싶은 말이었다. 가끔은 어쩌면 정말 사라져버릴지도 모른다는 불안감에 휩싸였지만, 그럼에도 할 수 있는 게 없다는 절망감을 동시에 느끼며, 내가 할 수 있는 건 잘 기다리는 것이라고 믿으며 보낸 시간 끝에 그녀의 입에서 그 말이 나온 것이다.

"정말 듣기 좋다. 정말 듣기 좋아. 너무너무......"

나는 그렇게 말했다. 몇 번이고 그렇게 말했다. 눈물이 차올라서 고개를 들고 웃음이 새어 나올까 봐 입술을 악물고 고개를 끄덕이면서.

"아휴! 추워요! 따뜻한 커피나 한잔 더 마십시다."

고도는 눈물을 닦고 일어나 엉덩이를 툭툭 털었다. 나도 벌떡 일어나 고도 옆에 바짝 붙었다. 고도는 신나서 말했다.
"이것도 하고 싶고 이것도 하고 싶어요. 가장 하고 싶은 건 이건데, 지금은 어렵고 서른 쯤에는 하고 싶어요. 지금은 그걸 위해 나를 잘 돌보면서 준비해야겠어요. 나는 천천히 해야 하는 사람 같아요. 남들 말을 들으면서 빨리 뭔가를 해야 한다는 압박과 강박이 있었는데, 나는 천천히 하는 게 맞는 사람 같아요. 그래서 천천히 하려고요. 급하지 않게."

나는 고도가 뭘 해도 좋다.

길고 어둡고 외로운 길을 자신의 방법으로 지나온 고도가 뭘 하든 나는 응원할 준비가 되어 있었다.

그날 집에 가는 내내 웃음이 멈추질 않았다. 집에 가서도, 자기 전까지 계속 마음이 즐거웠다. 그 어떤 때보다 기뻤다.

그리고 몇 년이 지난 후, 이번에 내가 고도를 찾아간 것이다. 찾아가서 내가 한 말이라고는 내 마음이 간장 종지 같다는 못난 말뿐이었지만 고도는 편지에서 그렇게 썼다.

"울적한 마음을 외롭게 두지 않고 밖에 나와줘서 고맙고, 그럴 때 나를 찾아와줘서 더 고마워요. 앞으로 내가 언니에게 그 정도의 위로가 되는 존재이면 좋겠어요."

나는 그동안 내가 고도를 기다려왔다고 생각했다. 그런데 의정부에서 고도를 만나고 다시 안산 집으로 가는 긴 시간 동안 다시 생각했다. 고도도 나를 기다려왔다고. 폐쇄적으로 내 이야기를 하지 않고 모든 게 괜찮다고 말하는 내가 내 이야기를 들려주기를, 자신을 찾아와주기를 기다렸던 것이다.

그래서 고도는 기뻤을까? 그녀가 내게 살고 싶다고 말했을 때 내가 그랬던 것처럼 기쁘고 행복했을까?

나는 고도를 고도라고 부르지만, 우리는 사실 서로의 고도다. 언젠가 어디론가 간 고도가 분명 올 것을 믿으며, 오면 들려줄 이야기를 가득 쌓아두며, 안아줄 마음을 넉넉히 채워두며 잔잔하게 기다린다. 오지 않을지도 모르는 절망이나 혼자라는 외로움 속에서도, 이게 우리의 일상이라는 듯, 태연하게 기다린다. 이 모든 게 너무 자연스러워 괴롭다는 감각은 잊힌다.

동시에 우리는 삶이라는 고도를 같이 기다리고 있는 고고와 디디같다. 좀 더 명확하게 말하면 슬프지 않은 삶. 우리는 아름다운 삶을 같이 기다리고 있다. 가끔 너무 괴롭고 힘들어서 포기하려 하면 "어디 가. 고도를 기다려야지!" 누군가 말해주고, 그럼 상대는 "아이 참, 그렇지!" 하며 웃을 수 있는 사이가 우리 관계 아닐까.

아름다운 삶이라는 고도를 같이 기다리며 또 서로의 고도가 되어 기다려주며 우리는 그렇게 각자의 길을 같이 걷는다. 그러다 어느 높고 시원한 바람이 부는 가을날에 한 번씩 깨닫게 된다. 사랑은 기다림이 8할이 아닐까, 하고.

겨울

11월은 우리의 달
겨울은 우리의 계절

나는 친구와 같이 산다. 투룸 집에 각자 방 하나씩 쓴다. 벌써 2년째 같이 살고 있는데 나는 이 친구를 '집사람'이라고 부른다.

그녀와 나는 꽤 잘 맞는 편이다. 말하지 않아도 서로가 원하는 걸 정확하게 안다. 예를 들면 집사람은 내가 떡볶이를 먹어야 하는 시기를, 그중에서도 배떡 로제 3단계를 먹어야 하는 시기를 정확하게 안다. 또 명랑 핫도그를 먹어야 하는 때와 닭발이 필요한 시기를 정확하게 알고 있다. 내가 대화하다 말고 뒤구르기를 하고 싶은 것도 그녀는 안다. 나는 그녀가 두루뭉술하게 말하는 영화를 찾아내는 능력이 있다. 그녀가 "로맨슨데 로맨스가 주를 이루는 건 아니어야 하고 하지만 인물들의 캐미가 좋아서 보기만 해도 기분이 좋아지는, 따뜻한 분위기의, 아주 B급 영화는 아니지만, 꽤 가벼운, 그러면서도 다 보고 나면 생각할 거리가 있는, 지금 마라탕을 먹으면서 볼 수 있는 그런 영화가 보고 싶어요"라고 말하면 나는 그녀가 무릎을 팍 칠 수밖에 없는 영화를 보여준다. (그래서 그 영화가 뭐냐고? 비밀이다) 내가 "요즘 마음이 허해요."라고 말하면 그녀는 "샤브샤브를 먹을 때가 됐죠." 하고 말한다. 그녀가 "기분이 별로예요."라고 말하면, 나는 "옷 입어요. 노래를 불러야 해요." 말한다.

우리는 집뿐만 아니라 일상을 공유하고 즐거움을 공유한다. 집사람 말로는 우리가 생각의 회로가 비슷하기 때문에 서로가 원하는 것을 잘 아는 거라고 했다. 나는 그 말에 동감한다.

우리는 나름 즐거운 나날을 보내면서도 어딘가 모르게 매번 아쉬웠다. 제대로 된 한 방이 필요했다.

특히 날이 좋은 날, 과제를 하기 위해 조용한 카페를 찾았는데 그 카페의 커피가 유독 맛있어서 수다를 떨고, 수다를 떨다 보니 배가 고파서 자주 가는 베트남 쌀국숫집에 가서 야외 테이블에 앉아 나시고랭과 양지 쌀국수를 먹고 있으면 더더욱 그랬다.

우리에겐 돌아가야 할 집이 있었고, 해야 할 일이 남

아 있었기 때문에 행복하지만 아주 행복해할 순 없는 찝찝함이 기저에 깔려있었다. 우리는 사실은 놀고 있으면서도 더 제대로 완벽하게 아무 걱정 없이 고민 없이 놀고 싶었다.

그래서 우리는 날을 잡았다. 그리고 계획을 세웠다.

우리의 계획은 이랬다.

일어나서 개운하게 샤워를 한다. 프렌치토스트와 드립커피로 아침을 먹는다. 멋있는 옷을 입고 아웃백에 가서 밥을 먹는다. 이후에 케이크가 맛있는 카페에 가서 케이크와 커피를 먹고, 호텔에 간다. 호텔에서 잠깐 쉬다가 백화점과 연결된 지하 푸트코트에 가서 먹고 싶은 걸 왕창 산다. 신나게 수영을 한 뒤 욕조에 뜨거운 물을 받아 목욕을 한다. 야경을 보며 사둔 음식을 먹는다. 오래 자고 일어나서 조식을 먹고 퇴실한다.

실로 완벽한 계획이었다.
대망의 날이 밝아 우리는 차근차근 계획을 수행했다.
지하철에서 '아웃백 주문 방법'을 몇 번이나 검색하고 외웠다. 그리고 혹시 몰라 메모장에 적어두기까지 했다. 메모장에 이렇게 적었다.

〈 아웃백 주문서 〉

1. 런치 세트를 주문한다.

2. 부시맨 브래드 소스는 "초코와 블루치즈, 같이 주세요" 말한다.

3. 스프 하나는 양송이 스프로, 다른 스프는 샐러드로 변경한다. 치킨 핑거 두 개 추가하고 소스는 허니 머스타드로 달라고 한다.

4. 스테이크는 꽃등심 갈릭 립아이, 미디움 굽기, 사이드는 감튀에 멜티드 치즈 하프 추가 나머지는 고구마로!

5. 투움바 파스타에 소스 많이!

아웃백에 입장한 우리는 어릴 적 구구단을 외듯 고개로 박자를 타며 위에 써둔 말을 멋지게 읊고 음식이 나오길 기다렸다.

그런데 그때 우리 뒤에서 악! 소리와 함께 접시가 와르르 무너지고 바닥에 쏟아지는 소리가 들렸다. 홀에 있던 열 명쯤 되는 직원들이 "죄송합니다! 죄송합니다!" 외치며 접시를 주웠다.

"좀 정신없죠? "

아웃백 주문서

1. 런치세트 주문하기
2. 부시맨 브래드소스는 초코와 블루치즈 같이

   \+ 치킨핑거 두개 추가/ 소스는 허니머스타드

3. 스프 하나는 양송이스프로 주문하고 하나는 샐러드로 변경
4. 스테이크는 꽃등심 갈릭립아이, 미디움

   \+사이드는 감튀에 멜티드치즈 하프추가, 나머지는 고구마

5. 투움바 파스타에 소스 많이

그런데 그 말이 끝나기가 무섭게 또 한 번 다른 직원이 접시를 깨뜨렸다. 또 모든 직원이 우르르 달려갔다. 우리가 주문한 음식이 막 나오던 참이었다.

"얼른 먹고 나갑시다."
"좋은 생각이에요."

천장이 낮고 어두운 조명 아래서, 직원들까지 소란스럽게 움직이자 나는 정신이 없어서 밥이고 뭐고 얼른 나가고 싶은 생각뿐이었다. 그건 집사람도 마찬가지였다.

그렇게 기대했던 아웃백을 뒤로하고 도망치듯 밖으로 나왔다. 잠깐 사이에 기가 빨린 우리는 가기로 한 카페에 가지 않기로 했다. 곧장 호텔로 향했다. 방에 들어가자마자 커튼을 젖혔다. 서울 시내가 한눈에 보였다. 우리는 그대로 침대에 벌러덩 누웠다.

"이제야 좀 살겠어요."

내가 말했다. 집사람은 대답이 없었다.

"설마 자요?"

"좀만 잡시다. 갑자기 너무 피곤해졌어요."

그 말을 듣자 나도 갑자기 피곤해졌다.
아주 잠깐 잤다고 생각했는데, 눈을 떠보니 밖이 어두워져 있었다. 우리는 급하게 백화점과 연결된 지하 푸드코트에 갔다. 먹고 싶은 것을 잔뜩 살 생각이었는데, 마감 직전이라 먹을 만한 게 없었다. 게다가 직원이 마감해야 하니 얼른 나가라는 듯 눈치를 줘서 더 마음이 급해졌다. 우리는 눈에 보이는 김밥과 초밥 그리고 소떡소떡을 계산하고 얼른 그곳을 빠져나왔다.

"우리 오늘 좀 웃기지 않아요?"
"나만 그런 거 아니죠?"
"네, 되게 안 풀리네요?"
"근데 나쁘지 않아요."
"나도 그래요."

우리는 호텔 입구에 있는 카페에서 커피와 케이크를 포장해 다시 방으로 돌아왔다. 먹을 것을 다 냉장고에 넣어 두고 샤워를 하고 수영복을 입었다. 수영복 위에 가운을 걸친 뒤 수영장이 있는 층으로 내려갔다.
수영장 이용 시간은 오후 10시까지인 줄 알았는데 코로나로 인해 오후 9시까지로 단축 운영한다고 했다.

우리는 8시 30분에 수영장에 도착했다. 얼른 준비운동을 끝내고 물에 들어갔다.

나는 물을 좋아하고 수영도 배웠던 터라 그날 일정 중에 물놀이를 가장 기대했는데 집사람은 물을 무서워했다. 그래서 내가 천천히 물에 뜨는 법부터 알려주기로 했다.

우선 귀가 잠길 정도로 뒤로 누운 뒤 폐가 크게 팽창할 때까지 숨을 들이마시고 몸에 힘을 뺀다. 얼굴이 물에 잠깐 잠겨도 겁먹지 않는 게 핵심이다. 겁먹는 순간 몸에 힘이 들어가고 몸에 힘이 들어가면 그대로 가라앉기 때문이다. 집사람은 어려워하면서도 곧잘 따라 했다. 다음에 그 상태로 더 오래 떠 있기 위해서는 팔다리를 물고기처럼 흔들어주는 게 필요하다고 말했다. 금붕어 꼬리처럼 여유롭고 우아하게 팔다리를 흔들어주면 더 쉽고 오래 뜰 수 있는데 여기서 중요한 건 '여유롭고 우아하게'다. 힘을 주면 오히려 가라앉을 수 있다. 집사람은 나를 믿고 물 위를 침대 삼아 눕고 서서히 팔다리를 움직였다. 위태롭긴 해도 몸이 물 위에 떴고, 조금씩 조금씩 앞으로 나가기 시작했다.

"이게 인생과 같다 이 말입니다. 예? 뜨려고 힘주는 게 아니라 여유롭게, 우아하게 힘을 풀고 집중하다 보면 서서히 앞으로 나간다 이 말이에요, 알겠어요?"

나는 수영 장인이라도 되는 양 우쭐대며 말했다.

"뭐라고요?"

집사람이 벌떡 일어나 말했다. 귀가 물에 잠겨 있어 내 말이 하나도 안 들렸다는 거다. 나는 됐다며 멋있게 자유형을 하며 앞으로 나갔다. 집사람은 본체만체 했다. 내가 나 자신에 취해 자유형을 할 동안 집사람은 다시 물 위에 누워 흐느적흐느적 팔다리를 움직여 천천히 레일 끝까지 갔다.

짧은 물놀이를 끝내고 우리는 방으로 돌아왔다. 그리고 욕조에 아주 뜨거운 물을 받아 목욕했다. 집사람이 먼저 들어가 씻고, 내가 새 물을 받아 들어갔다.

몇 달을 기대한 날치고 요상하게 정신없던 하루와 유독 춥던 날씨에 꽝꽝 얼었던 몸이 따뜻한 물에 사르르 녹기 시작했다. "어으 좋다" 소리가 절로 나왔다.

빨갛게 익은 몸에 가운을 걸치고 방으로 나갔다. 집사람이 야경이 훤히 보이게 커튼을 걷고 아까 사둔 음식들을 테이블에 올려두고 기다리고 있었다. 나는 나오자마자 캔에 포장된 커피를 따서 꿀떡꿀떡 마셨다. 하루의 갈증이 싹 가시는 맛이었다. 어떤 맥주보다 시원하고 깔끔했다.

"아, 아주 훌륭한 집사람이네요!" 내가 말했다.

우리는 야경을 바라보며 나란히 앉았다. 그리고 식은 소떡소떡과 김밥, 계산대 앞에서 산 라면을 번갈아 가며 먹었다. 낮에 먹은 아웃백보다 천 배는 맛있었다.

그때 창밖으로 보슬보슬 비가 내렸다.

"비 와요!"

"낭만적이네요."

무심한 목소리였지만 진심이었다. 우리는 비에 젖은 도시를 바라보며 앞에 놓인 음식들을 하나씩 해치웠다. 다 먹고 난 후에 커피와 같이 샀던 조각 케이크를 꺼냈다. 평범한 티라미수였다. 티라미수 한 조각을 작게 떠서 입으로 넣었다. 씹지 않아도 혀와 천장을 지긋이 맞닿게 하면 그 사이에서 케이크가 스르륵 녹았다.

케이크 한입에 커피 한 모금. 다시 커피 한 모금에 케이크 한 입을 먹으며 다시 야경 한 입.

"오늘 하루 중에 지금이 제일 좋아요."

"나도요."

"맨날 이렇게 살고 싶어요."

"나도요."

"아주 만족스러워요."

"나도요."

"따라 하지 마요!"
"아니, 진짜로!"

그렇게 말하고 우리는 다시 비 맞는 도시를 바라봤다.

"올해 11월은 성공인 거 같죠?"
"모르죠. 아직 안 끝났으니까. 근데 이거면 됐어요."
"충분해요."
"네, 나도요."

사실 우리는 몇 년 동안 11월을 무서워했다. 11월엔 나의 생일과 집사람의 생일이 있는 날인데, 남들과 달리 우리는 생일을 반기는 사람들이 아니었다. 이상하리만큼 생일쯤엔 안 좋은 일이 생겼고, 그 일은 매번 우리의 삶을 송두리째 흔들어놓고, 앞으로의 삶이 막막하게 느껴지게 했다.

나에게 11월은 악몽의 달이었고, 집사람에게 11월은 불면의 달이었다. 그래서 11월에는 유독 작은 일에도 쉽게 상처받고 사소한 말이나 행동이 혹시라도 큰일로 번질까 조심 또 조심했다.

그런 우리가 '맘껏 노는 날'을 11월에 잡은 건 어쩔 수 없어서였다. 돈 없고 바쁜 대학생 둘이 맞는 시간이 이때뿐이었다. 과제와 포트폴리오, 공모전, 수업, 개인

작업, 시험, 과외로 바쁜 우리에게 유일하게 허락된 날이 이날이었기에 우리는 두려움을 무릅쓴 것이다.

그러나 우리가 가지고 있던 11월의 저주 때문인지 아니면 원래 우리가 쉽게 지치고 매사에 과민한 사람이어서인지 그것도 아니면 유독 추웠던 날씨 때문이었는지 우리가 계획한 그날은 상상한 것보다 평범했고 기대 이하였다.

밤이 되기 전까지는 말이다.

밤에 따뜻하고 쾌적한 공간에서 커피와 맥주를 홀짝이며 비에 젖어가는 도시를 구경하니 하루의 피로가 입안의 티라미수처럼 사르르 녹았다.

그제야 말할 수 있을 것 같았다. 우리의 11월은 무사하다고.

가끔 기대하지 않던 상황에서 새로운 길이 열리기도 하고, 뜻밖의 사람에게 위로받기도 한다. 이날이 우리에겐 그랬다. 우리는 한 번도 11월을 극복해보고자 노력해본 적이 없었다. 단지 우리와 우리 주변 사람들이 무탈하길 기도하며 얼른 시간이 지나가 주길 숨죽여 기다렸다.

그런데 더 놀고 싶다는 순수한 마음 하나가 긴긴 11월의 밤을 깼다. 아니 녹였다. 처음엔 우리를 불쌍히 여긴 대자연과 우주와 신이 우리를 그만 그 구덩이에서 빠져나오게 한 것이라 생각했다. 그런데 다시 생각해보니 그건 우리의 선택과 용기였다. 멈칫했지만 그래도 용기를 내서 11월에 놀아보기로 마음먹은 것.

아직은 여전히 두렵지만, 나는 올해의 11월을 기다린다. 어쩌면 작년보다 나을지도 모르니 말이다. 아니, 그럴 것이라 믿어 의심치 않는다.

이제 11월은 우리의 달, 겨울은 우리의 계절이다.

바야흐로 스타벅스의 계절

아침에 눈을 떴을 때 이불 밖으로 쉽사리 나갈 수 없어 몸을 웅크린 채 한동안 침대 안에서 뒹굴거리고 싶어지면, 겨울이다. 이중 창 중 첫 번째 창을 열면 두 번째 창에 오밀조밀 모여있는 수증기가 가득하면 완연한 겨울이 온 것이다.

게으르게 늘어지고 싶은 계절에 우리에게 필요한 건 다름 아닌 여유다. 겨울엔 모든 걸 천천히 여유롭게 해야 한다.

어느 겨울 아침, 나는 긴 뒹굴거림을 끝내고 침대 밖으로 나갔다. 몸을 데워주던 따뜻한 공기는 금세 달아나고, 나는 얼른 의자에 걸쳐진 후리스를 입고 목 끝까지 지퍼를 잠갔다. 주방으로 가서 커피포트에 물을 올렸다. 물이 끓을 동안 화장실에 갔다. 따뜻한 물을 틀어둔 채 밤새 쌓인 소변을 누었다. 그리고 한 손을 따뜻한 물이 흐르는 밑에 두고 한 손으로는 양치를 했다. 양치를 다 한 후 세수를 했다. 다시 주방으로 갔다. 컵에 뜨거운 물을 붓고 허브차 티백을 하나 넣었다. 그 안에 얼음 한 알을 넣어서 방으로 돌아왔다. 얼굴에 묻은 물기를 수건으로 가볍게 닦은 후 수분 크림을 듬뿍 발랐다. 그리고 의자에 앉아서 컵 표면에 손을 대봤다. 따뜻했다. 손바닥은 금세 뜨거워지고 손등은 아직 시려서 엎어라 뒤집어라 컵을 만지작거리면 허브 티백은 먹기 좋게 우러나고, 바로 마셔도 될 만큼 적당히 식어있었다. 호록, 하고 찬 공기를 섞어 마셨다. 아주 작은 한 모금이지만 목구멍을 타고 내려가는 그 따뜻함은 곧바로 온몸에 퍼졌다. 식도를 타고 내려간 따뜻한 티는 빠르고 정확하게 손끝 발끝까지 따뜻함을 퍼뜨렸다. 긴장했던 어깨에 힘이 풀렸다. 나는 의자를 뒤로 젖히고 눈을 감았다. 고요 속에서 가만히 들숨과 날숨에 집중하면 은은한 비누 냄새가 났다. 책장 어딘가에 놓아둔 선물 받은 러쉬 비누에서 나는 향이었다. 나는 아까보다 더 크게 숨을 들이마시고 내쉬었다. 창문 틈 사이로 시린 바람이 들어와 코끝을 스쳤다. 눈 냄새였다.

눈에는 냄새가 있다. 평소 공기보다 찐득하고 묵직

한 질감의 냄새는 안에서보다 바깥에서 더 잘 느껴진다. 바람이 적고 햇빛도 쨍쨍한데 하늘은 연한 잿빛을 띤다. 겨울에 흔히 보이는 연푸른색 하늘이 아니라 흰색 도화지에 회색 물감을 떨어뜨리고 다시 흰색으로 몇 번을 덧칠한 색의 하늘이다. 그런 하늘은 매우 낮다. 마치 높이 뛰면 금방 하늘에 머리가 닿을 것 같다. 어쩌면 그래서 눈 오는 날엔 바람의 밀도가 더 높다고 느낄 수 있다. 하늘이 낮아져 평소보다 바람이 움직일 수 있는 면적이 줄어들어서.

바깥에 눈이 오고 있었다. 이상하게 나가야 할 것 같았다. 나는 차를 천천히 다 마신 후, 의자에서 일어났다. 그리고 옷을 입었다. 펑퍼짐한 바지에 흰 티를 입고 품이 큰 니트를 입었다. 그리고 가벼운 패딩을 걸쳤다. 패딩 주머니에 지갑과 이어폰, 휴대폰을 챙긴 뒤 주머니에 들어 갈 만한 작은 사이즈의 에세이집을 한 권 챙겼다. 그리고 낡은 스니커즈를 구겨 신은 뒤 밖으로 나갔다.

눈발이 날리고 바람이 불었다. 나는 '후드티를 입고 나올걸' 후회하면서 앞으로 걷기 시작했다. 패딩 주머니에 손을 넣고 허리를 숙인 채 걸었다. 손이 얼고 정수리가 차가워졌다. 나는 다리를 덜덜 떨며 버스 정류장에서 버스를 기다리다가 방향을 틀었다. 다시 걷기 시작했다. 패딩 속에 얼굴을 파묻고 바닥만 보면서 빠른 걸음으로 걸었다.

30분을 걸어 스타벅스에 도착했다. 사실 나는 프렌차이즈 카페보다 개인 카페를 더 좋아하지만 그날은 꼭 스타벅스여야 했던 이유가 있었다.

"환영합니다. 스타벅스입니다!"

나는 스타벅스 파트너의 인사에 빨갛게 상기된 얼굴을 들어 인사를 했다. 그리고는 헉헉대며 앉을 자리를 찾았다. 위치는 입구와 떨어진 곳. 가능하면 카페 한 가운데, 파트너가 음료 만드는 걸 볼 수 있는 곳이면 더 좋았다. 동시에 조금 구석진 자리여야 했다.

딱 맞는 자리를 찾아 앉았다. 한기가 몸을 가득 감싸고 있어서 가만히 있어도 찬 바람이 부는 것처럼 으스스 떨렸다. 주머니에 손을 넣고 최대한 웅크린 자세로 앉아 있었다. 천천히 눈을 감고 호흡에 집중하니 몸은 금방 실내에 적응했다. 천천히 일어났다. 주문대로 향했다.

"주문 도와드릴까요?"
"시그니처 핫 초콜릿 그란데 사이즈에 샷 추가해주시고 뜨겁게 해주세요."
"휘핑 올려드릴까요?"

“에스프레소 휘핑 올려주세요.”
“네, 음료 준비되면 주문 번호로 불러드릴게요.”

나는 영수증을 받고 음료 픽업대에 서서 기다렸다. 파트너가 분주하게 움직이는 걸 구경했다. 그리고 마침내 내 음료가 픽업대에 올라왔다.

나는 내 음료를 들고 자리로 돌아왔다. 컵을 쥔 손이 금방 뜨거워졌다. 손을 바꿔 들면서 자리에 앉은 나는 컵을 감싸 쥐었다. 그리고 주머니 속에 넣어둔 에세이집을 꺼내서 테이블 위에 올려두었다. 당장 읽을 건 아니었지만 주머니를 조금 가볍게 만들기 위해서였다. 패딩에서 팔을 빼고 어깨에 걸친 후, 나는 다리를 꼬고 팔짱을 끼었다. 그리고 들려오는 소리에 집중했다.

누군가는 이 날씨에도 아이스 아메리카노를 주문하고, 누군가는 통화를 하고, 또 누군가는 애인과 여행 계획을 짜고 있었다. 재즈풍의 노래가 배경음악으로 들려왔다. 파트너가 얼음을 푸는 소리, 커피 원두가 갈아지는 소리, 칙칙-소리를 내며 스팀 우유가 만들어지는 소리도 들려왔다. 또 누군가는 노트북으로 무언가를 쓰고 있었고, 또 다른 누군가는 펜으로 무언가를 쓰고 있다. 나는 아무것도 하지 않은 채 그들 속에 가만히 앉아 있었다.

지금은 멀어진, 겨울이면 스타벅스에 출근 도장을 찍

던 친구가 생각났다.

“시그니처 핫 초콜릿 그란데 사이즈에 샷 추가해주시고 에스프레소 휘핑 올려주세요. 제일 뜨겁게요.”

그 친구는 매번 똑같이 말했다.

그리고 하얀 머그잔 속에 든 까만 핫 초콜릿을 받아 들고 세상 맑게 웃었다. 작고 하얀 손으로 그 머그잔을 꼭 쥐고 몸을 수그린 채 조금씩 조금씩 마시는 그녀를 보고 있으면 따뜻함이 얼마나 아름다운지 실감하곤 했다.

멍하니 상념에 잠겨 있으면, 친구는 “너도 먹어볼래? 진짜 따뜻하고 달아.” 그렇게 말하며 내 쪽으로 하얀 머그잔을 밀었다. 친구를 따라 두 손으로 머그잔을 들고 후후 불어 호로록 마셨다. 정말 따뜻하고 달았다.

나는 한동안 겨울이 되면 겨울잠을 자는 곰처럼 집 밖으로 나가지 않았다. 뉴스에서는 올해 겨울이 역대급으로 춥다느니, 몇십 년 만의 한파라니 하며 나를 더 겁줬다. 어쩔 수 없이 외출해야 할 때마다 눈만 빼고 모든 곳을 꽁꽁 싸맸지만 그래도 어디론가 바람이 자꾸 새어 들어왔다. 아무리 따뜻한 곳에 있어도 마음 한

켠이 시렸다. 그래서 자꾸 몸을 웅크리게 되고, 몸을 웅크리면 몸에 힘이 들어가고, 몸에 힘이 들어가면, 몸이 아파서 나는 더 더 겨울이 싫었다.

그런데 어쩐 일인지 나가봐야겠다는 마음이 생긴 것이다. 굳이 찬바람을 더 맞아가며 스타벅스까지 걸어보고 싶었다.

감고있던 눈을 뜨고 핫초콜릿을 바라보니 그 친구 생각이 났다. 멀어졌다고 표현했지만, 멀어진 것인지 내가 그녀를 그곳에 두고 멀리 도망쳤는지 모를 일이었다.

울컥하는 마음을 강한 눈발로 억누르며 두 손으로 컵을 조심스럽게 들어 입에 가져다 댔다. 후후 불자 휘핑크림이 조금 밀려났다. 호로로록, 하고 마시자 진하고 뜨거운 초콜릿이 입속으로 빨려 들어왔다. 입술에 차가운 에스프레소 휘핑이 묻었다. 혀로 입술을 훑어내자 차갑고 달콤한 휘핑크림에 몸이 찌릿했다. 다시 한 번 초콜릿을 호로록하고 마시자 입 안 가득 따뜻함이 퍼졌다. 나는 곧바로 목구멍으로 넘기지 않고 입안에서 그것들을 한 번 굴려보았다. 뜨거움에 느껴지지 않던 초콜릿이 조금 식으면서 더 달게 느껴졌다. 그러다 꿀꺽하고 삼키면 끝맛에서 은은하게 커피 향이 났다. 커피 스틱으로 휘핑크림을 조금 떠먹었다. 입안에서 사르르 녹았다. 몸의 한기가 점점 녹고 있었다.

"겨울은 바야흐로 스타벅스의 계절이지." 그렇게 말하는 친구의 목소리가 선명하게 들리는 듯했다. 그녀가 없는 새로운 겨울이 이제야 시작되는 기분이 들었다.

수요일엔 앙버터를 먹으러 가야지 

1판 1쇄 발행 | 2022.04.25
1판 2쇄 발행 | 2023.11.7

지은이 | 나효주

기획 | 정지윤
편집 | 정지윤
마케팅 | 나효주, 정지윤
삽화 | 유나경

펴낸곳 | 반바다
펴낸이 | 정지윤
출판등록 | 제 2023-000045호
주소 | 서울시 동대문구 무학로 128-1
전화 | 010-9246-0415
이메일 | aix1126@naver.com
인스타그램 | wed_angbutter
값 | 12,000원

ISBN 979-11-98497727 (03810)

본 책은 저작자의 지적 재산으로서 무단 전재와 무단복제를 금지하며, 이 책 내용의 전부 또는 일부를 이용하려면 반드시 저작권자와 반바다의 서면 동의를 받아야 합니다.